劉福春・李怡 主編

民國文學珍稀文獻集成

第四輯

新詩舊集影印叢編　第157冊

【馮憲章卷】

夢後

上海：紫藤出版部 1928 年 7 月 25 日初版

馮憲章 著

【羅吟圃卷】

纖手

上海：泰東圖書局 1928 年 7 月出版

羅吟圃 著

花木蘭文化事業有限公司

國家圖書館出版品預行編目資料

夢後／馮憲章 著　纖手／羅吟圃 著 -- 初版 -- 新北市：花木蘭文化事業有限公司，2023〔民112〕

124 面／86 面；19×26 公分

（民國文學珍稀文獻集成・第四輯・新詩舊集影印叢編　第157冊）

ISBN 978-626-344-144-6（全套：精裝）

831.8　　　　　　　　　　　　　　　　　　　　111021633

ISBN-978-626-344-144-6

9 786263 441446

民國文學珍稀文獻集成　・　第四輯　・　新詩舊集影印叢編（121-160 冊）
第 157 冊

夢後
纖手

著　　　者	馮憲章／羅吟圃	
主　　　編	劉福春、李怡	
企　　　劃	四川大學中國詩歌研究院	
	四川大學大文學學派	
總 編 輯	杜潔祥	
副總編輯	楊嘉樂	
編輯主任	許郁翎	
編　　　輯	張雅淋、潘玟靜　美術編輯　陳逸婷	
出　　　版	花木蘭文化事業有限公司	
發 行 人	高小娟	
聯絡地址	235 新北市中和區中安街七二號十三樓	
	電話：02-2923-1455／傳真：02-2923-1452	
網　　　址	http://www.huamulan.tw 信箱 service@huamulans.com	
印　　　刷	普羅文化出版廣告事業	
初　　　版	2023 年 3 月	
定　　　價	第四輯 121-160 冊（精裝）新台幣 100,000 元	版權所有・請勿翻印

夢後

馮憲章 著

馮憲章（1908～1931），生於廣東興寧。

紫藤出版部（上海）一九二八年七月二十五日初版。
原書三十二開。

1928　7　8　付排

1928　7　25　初版

1——2000册

版權所有

每册實價大洋四角

夢　　後

夢　後

目　錄

序詩（陳孤鳳）……………………………………………1

前序（伍勁夫）……………………………………………4

夢後的宣言（代序）………………………………………1

致——………………………………………………………3

怎樣幹……………………………………………………5

我們的任務………………………………………………8

詩神的剖白………………………………………………10

獻給做夢的詩人…………………………………………13

脫去………………………………………………………16

自勵………………………………………………………17

追逐………………………………………………………18

失戀的反應………………………………………………19

送別………………………………………………………21

給上學的同志……………………………………………27

別盡情在那裏遊逛…………………………………………29

給我理想的愛人…………………………………………32

新的啓示 ···33

踏上荊棘之路去 ··································35

粗暴的幽靜 ·······································38

離別桑梓 ···3J

嘆息 ··41

給大世界的遊繩女 ································42

早婚的苦衷 ·······································45

幽懷 ··48

給她 ··57

除夕 ··60

留別 ··64

端午 ··67

勞働童子的呼聲 ··································73

殘春 ··77

夢後 ··83

後記 ··99

序　　詩

陳　孤　鳳

這是一集現代的革命的詩篇

我敢介紹於同時代的青年面前：

作者雖是我們未冠的兄弟，

但他反抗的精神有若暴烈的火山！

我們的作者也曾做過幻夢，

在革命的時代未到之前；

但是，這亦不過是短促的瞬間，

現在對於舊的，他是一些也沒有留戀！

這便是他夢後的詩篇，

我誠懇地介紹給同時代的青年；

同時代的青年喲，

牠將使你們的熱血沸騰！

2　　　　　　　夢　　　後

這些詩篇不是空漠的閒言，
是表現革命的識意與實踐；
同時代的青年喲，
這是你們迷途的路燈！

在這些詩篇裏——
沒有什麼溫情與柔意，
有的是粗暴的叫喊，
有的是反抗的意志！

在這些詩篇裏——
沒有絲毫幻滅的情緒；
有的是資本主義的捧喝，
有的是工農勝利的讚美！

同時代的青年喲，

序　　詩　　　　3

　　牠雖然沒有綺麗的字句，

　但牠能於你失望時給你安慰，

　能於你探求光明時給你鼓勵！

　　——一九二八，六，廿七作者的小兄弟序於上海———

前　序

伍　勁　夫

　　我的摯友憲章，素來愛好文藝，而尤酷愛詩歌戲劇．他在中學時代，大部份時間，都消磨在文學與社會科學裏頭，對於自然科學，幾乎膜不關心．

　　這部詩多是他戰敗歸來時寫的．他編完後，要我做序；但是，我對詩沒有多大研究，所以只得這樣隨便談談：

　　這一部詩我急忙地看了一遍，覺得情緒為之興奮，心血為之沸騰，有如戰線上之軍號，可以鼓人氣，可以壯人胆！

　　在這詩集裏，大部份是描寫青年的痛苦，及其真正的出路的，反抗的革命詩歌．我們讀了這一部詩，不但可以認識舊社會的罪惡，還可以看出走向新社會的道路！

　　這部詩的用字和造句方面，在我個人覺得有些不滿意的地方；但是，我們讀新的革命的詩歌，不能再依然咬文嚼字，吹毛求疵．我們最要緊的，還是要有熱烈的情緒，階級的意識；所以我敢斷定這一部詩，是有意義和有價值的作品．

　前面既經說過，我對詩沒有多大研究，因此我不能有過細的批評；我要說的話，就只有這幾句．

　　　　　　　　——一九二八，六，廿七於上海——

夢後的宣言

——代　序——

夢前我也曾歌詠過清風明月，

夢前我也曾讚美過芳花皎雪；

也曾崇拜過英雄豪傑，

也曾羨慕過貞操節烈；

然現在我所把持的是工農的意識，

現在為我所景仰的是血染的旗幟；

我所要歌詠的是爭鬥場中的鮮血，

我所要讚美的是視死如歸的先烈；

我所要表現的是工農勝利的喜悅，

我所要歡欣的是資本主義的消滅；

也許有人以為這些不值費我們的心血，

但我却覺得就因此而送命呀也很值得；

可惜現在我們的環境是這麼惡劣，

雖然有這樣的意志也要受牠挫折！

2　　　夢　　　後

至於這些歪詩，雖是我夢後的集積，

但是，也只可說是新舊之間的中葉；

本來不值工友們勞苦的印刷，

更不值諸位讀者費心去探閱；

但是，我現在實在是窮得迫切，

其他的歪詩呀書局又嫌有彩色；

這迫得我實在沒有方法可設，

只有這樣蹈一般作家的故轍；

不過我自信這些也並不與我的意志相勃，

就中還可以見出我對於一般工農的情熱。

親愛的讀者喲，你倘以此不值一閱，

那末快起來罷，我們同把社會改革；

那時自有嘹亮而又和諧的琴瑟，

那時自有櫻花一般鮮豔的紅色！

致——

我要靜心潛修花月文章，
準備他日登象牙的宮堂；
我要迷戀嬌美的姑娘，
盡情地取樂於情場；
我要保持我身體的健康，
留待來日跑入飄渺的仙鄉；……
啊！朋友，你這樣的幻想，
是促你死亡的靈方；
你這樣的期望，
祇好把你自己埋葬！

如錦似繡的花月文章，
不能洗滌你抑鬱的愁腸；
戀愛給予窮人的恩賞，
只有失望和淪亡；

4　　　　夢　　　後

社會旣成為屠場，

是誰的生命得以永常？……

啊！朋友，要實現你的幻想，

須先除去目前的屏障；

要達到你的期望，

須先跑入革命的彌場！

────一九二七，四，十五 於梅縣．────

怎 樣 幹

蕭索的殘冬如經悄悄地驚逃，
美麗的陽春業既熱鬧地來了；
別一個革命的嶄新的時代，
也隨着陽春在我們面前展開．
我們不獨是五卅時代以後的青年，
而且是廣州屠殺時代以後的一員；
固然在整個歷史進程的意義，
我們的工作是繼續而不是開始；
但是，今後的工作究竟應該怎樣？
那却要下一番深刻的計較與思量！

是的，我們不能用祖先的生活方法來生長，
更不能用祖先的思想方法來思想；
一切新的變動要在我們面前展開，
我們有我們自己特有的時代：

6　　　　　夢　　　　後

那些受盡污辱咒罵的奴隸，

既紛紛地從大夢之中醒起；

他們不再在重壓之下輾轉吟呻，

既經持戈執戟，勇敢前進．

啊啊！這種反古未有的變遷，

你有沒有聽見，有沒有聽見？

啊！那強悍的殺伐的呼聲，

如今深入我們的環境；

深入我們藝術家的心宮，

深入我們科學家的耳孔；

不獨要求我們對於藝術，科學，

要下一番嶄新的研究的工作，

並且指示我們一切學問，

一切學問的光明的路程．

啊啊！在這一個嶄新的時代，

只有工農才能代表光明的將來！

怎　樣　幹　　　7

是的呀！在這一個嶄新的時代，

只有工農才能代表光明的將來！

我們要將他們的感情痛苦，

我們要將他們的思想要求，

綴成我們的藝術製作，

譯成我們的社會科學；

朋友，新時代的青年的朋友，

這是我們，是我們唯一的出路；

我們如欲得到平靜與恬安，

只有這樣，只有這樣幹！

　　　　——一九二八，一，十八，於梅縣。——

我 們 的 任 務

要來的，趕緊促進，趕緊促進牠來！
要去的，趕緊把牠，趕緊把牠淘汰！
我們是社會變革的主人，
我們有創造歷史的使命；
現在我們要用唯物的理論去批判反動的思想，
現在我們要用集團的法門去打倒反動的力量；
這樣才不辜負自己的一生，
這樣才能在這個世間生存！

提起筆，准備和人，准備和人筆戰！
提起槍，准備和人，准備和人血濺！
因為我們要負起我們的使命，
難免要遇着我們頑固的敵人；
但是，我們要堅持我們的態度，
不可，不可因此棄我們的任務；

我們的使命爲歷史所規定，

歷史將助我們而完成使命！

———一九二八，二，二七於故鄉與寄———

詩 神 的 剖 白

我現在是這麼的體裸足赤，
我現在是這麼的毫不修飾；
我只注重我的實質，
我忽略了我的形式；
我所有的只有真摯，
我也沒有什麼音律；
也許有人為我可惜，
也許有人把我排斥；
但我自信這很是值得，
現在該是我出身之日！

現在裸體赤足的工農到處充斥，
現在該是他們工農出頭的一日；
雖然他們是面黑如漆，
雖然他們是毫無智識；

詩　神　的　剖　白　　　11

但我對於他們特別感到親熱，
我總覺他們特別的足以喜悅．
一般富人雖則是面白如雪，
然而，不過是表面的修飾；
其實他們是只知道自己利益，
他們是我們人類進化的障孽！

他們用他們一些蓄積，
便來吸取工農的汗血；
使工農竭盡心力，
尚且無衣與無食；
而他們終日如是安逸，
却又遂他們心之所悅；
但是，這只能促一般工農獲取意識，
只能促一般工農從此而嚴密地組織；
於一般工農實在呀沒有損失，
只好把他們的性命早日埋沒！

12　　　　　　　夢　　　　後

現在一般工農多既有了階級意識，

現在一般工農既豎起他們的旗幟；

他們既在爭鬥場中高呼殺敵，

他們既在對壘陣上犧牲流血！

他們的組織堅硬如鐵，

他們的行動水沸山裂；

然我對於他們總覺異常親切，

我但願呀能夠為他們的喉舌；

我要表現他們如狂風暴雨般的壯劇，

我要歌詠他們戰勝凱旋時候的喜悅！

————一九二七，十二月，於故鄉——

獻給做夢的詩人

文學是偉大的民族精神，
文學是純潔的民族心靈；
是反抗的長嘯，
是革命的軍號；
牠的情緒要像火一般熱烈，
她的描寫要像海一般深刻；
牠要詳述人們的痛苦，
她要指示人們的出路；
更要給人們以安慰，
更要給人們以鼓勵！
因此——
詩人須有純潔的心靈，
詩人應具反抗的精神；
要做時代的先覺先驅，
要做人們的擴聲機器；

14　　　夢　　　後

要與平民分受運命，

要與平民攜手前進！

醒來罷，迷夢中的詩人呀！

起來罷，舊社會的謳歌者！

不要再迷戀熱烈的情婦，

不要再沉湎芳烈的醇酒；

不要再追逐過去的幻夢，

不要再仿效頹廢的遺風；

不要再歌詠清風明月，

不要再讚美芳花皎雪；

也不要只是寫淚痕血漿，

也不要只是喊炸彈手槍！

要不然——

那枉費了你的精神，

也絲毫無益於人；

可知道——

要把民衆喚醒，

獻 給 做 夢 的 人 詩　　　15

只有"粗暴的叫喊"，

要想敵人同化，

只有"熱烈的嘲罵"，

迷夢中的詩人喲！

舊社會的歌者喲！

去罷，去民衆中粗暴的叫喊，

把那些酣睡的人們喚醒；

去罷，去敵陣中熱烈的嘲罵，

把那些頑固的敵人同化！

　　　　　——一九二八，一，二於故鄉——

脫　　去

脫去罷，脫去傷感主義的衣裳，

踏入罷，踏入理論爭鬥的戰場；

我們的文學不是淚痕血漿，

我們的文學實是炸彈手槍；

我們不特要克服反動的思想，

我們並且要打倒反動的力量；

不要顧暗箭明槍，

不要怕奇波駭浪。

看呀！最後的勝利已在我們掌上！

聽呀！凱旋的歌聲既在遠處歡唱！

　　　　　——一九二八，一，二七於故鄉——

自　　勵

別要顧櫂失望，

別要害怕創傷；

努力去實現你的幻想，

盡心去促成你的期望；

不怕如夸父一般追逐太陽，

不怕如青蓮一般撈取月亮。

要是果能實現你幻想與期望，

自然可以稍慰你抑鬱的愁腸；

就使不幸而失望，

也是助你的力量；

有最大的失望才能吐出分外美麗的歌唱，

有純潔的嘆息才能組成千古不朽的文章！

——一九二七，六，二於故鄉——

追　　逐

要得真正的幸福，

要得人生的歸宿；

被壓迫的青年喲，

不要如羔羊般馴服，

不要如昆蟲般蟄伏；

睜開你耿耿的怒目，

提起你健康的兩足；

向前追逐！

向前鋤劚！

不要顧道旁的荼毒，

不要怕道上的齟齬！

被壓迫的青年喲，

從速，從速，

追逐，鋤劚！

　　　　　　——一九二七，十二於故鄉——

失 戀 的 反 應

——給 我 的 愛 友 達 之——

朋友，我現在得讀你的來信，
未嘗不為你表示深沉的同情；
因為我也和你一樣的不幸，
和你一樣的還是孤影只身！

不過，朋友，我既經認清，
認清現社會實際的情形；
在這裏沒有什麼愛情，
愛情，全恃富貴功名！

啊！朋友，像我們這樣的窮人，
我想還是休想什麼愛情；
固然她可以消却生命的勞頓，
但是，你有沒有閃人的金銀？

20　　　　　　　夢　後

啊！朋友，別枉費了你的熱情，

熱情無如獻給工人和農民；

因爲在這樣的一個嶄新環境，

只有工農才能代表未來的光明！

願你不要再如此消極輕生，

願你保重你自己的心身；

可知我們負有改革社會的使命，

千萬不能作這無益的犧牲！

　　　　　　——一九二八，二，十二於梅縣——

送　別

啊啊！今朝，只有今朝，
朋友，別了，就要別了！
這在平常的富貴的朋友，
或許要請你們痛飲離酒；
但我現在是囊無寸金，
恕我無能請你們醉飲；
這裏我只有簡易的幾言，
爲你們作最後的相贈！

不要——
　　迷戀你們的女人，
　　眷念你們的家庭；
　　羨慕富貴和功名，
　　欽仰英雄和賢聖！

22　　　　　　夢　　　後

不要——

　　胆怯心慌，

　　猶預徬徨；

　　畏死怕傷，

　　厭視彊場！

定要——

　　做民衆的喉嚨，

　　作民衆的先鋒；

　　以期實現天下爲公，

　　以期實現世界大同！

更要——

　　做工農的象徵，

　　作工農的化身；

　　與工農的敵人拚命，

　　誓死爲工農而犧牲！

途　　　別　　　23

因爲——

　　這才是我們的出路，

　　才能解我們的痛苦；

　　你們倘舍此而不圖，

　　只有陷入末路窮途！

你們想喲——

　　那裏不是遍布着豺狼虎豹，

　　那裏不是叢生着荆棘莽草！

　　誰又能遂其懷抱，

　　誰又能不被囚牢！

你們看喲——

　　工農鮮紅的碧血，

　　染紅了荒涼的故國；

　　先烈珍貴的骨格，

　　尤積了故國的疆域！

24　　　　　　　廖　　　　後

你們聽喲————

　　許多可憐的工人，

　　在重壓之下輾轉吟呻；

　　許多可憫的農民，

　　在豪紳權威之下哀鳴！

這些足證社會既經病傷，

既經不適我們生長；

我們如不甘就此淪亡，

那末應當拚命地反抗！

是的，我們應當拚命地反抗，

反抗我們一切生存的屏障；

因而我們要勇敢踏入戰場，

更要屏除自己陳腐的思想！

送　　　別　　　25

啊啊！前面光明閃耀，

後面，後面黑暗橫暴；

前面樂神微笑，

後面厲鬼狂嘯；

前面東風飄飄，

後面西風蕭蕭；

跑跑跑，向前跑？

救自己，救同胞！

勿顧慮滿途的荆榛，

勿害怕路途的危險；

振起你們的精神，

堅持你們的決心；

去與我們的敵人拚命，

去把我們的敵人殺盡；

救起成千成萬的工人，

救起成千成萬的農民！

26　　　　　夢　　　後

啊啊！今朝，只有今朝，

朋友，別了，就要別了！

這在平常的富貴的朋友，

或許要請你們痛飲離酒；

但我現在是囊無寸金，

恕我無能請你們醉飲；

這裏我只有這麼幾言，

為你們作最後的相贈！

　　　　　──一九二八，二，十六於梅縣 ──

給 上 學 的 同 志

聞你來滬就學的計劃旣經決定，
未嘗不爲你遠大的前途而幸慶；
不過，我現在有幾言要爲你貢獻，
請你接受呀，接受我這一片眞誠！

莫以爲學校的課本是甚文明，
得知那是毒害我們的燒醇；
但是，我們並不是要不聞不問，
我們反要學得他們的智能；
只是我們不要受他們的迷惲，
要將他們的拳頭呀打他們的嘴脣！

鐮刀斧頭固然要團結堅强，
一切科學也要在前陣後陣，
我們不特要奪敵人的軍政，

28　　　　　　夢　　　　後

我們更要克服敵人的理論；

因此不特不反對你去學他們的智能，

而且慶幸呀你有這樣的一個決定！

但願你現在走入虎穴的險境，

明天呀有虎子為工農貢獻；

但願你現在走入詩人的夢境，

明天呀能把內幕向衆道明；

更願你不要中他們釀成的鴆醇，

明天呀能夠站在我們的前陣！

開你來滬就學的計劃既經決定，

未嘗不為你遠大的前途而幸慶；

不過，我現在有這幾言要為你貢獻，

請你接受呀，接受我一片眞誠！

　　　　　　　　—— 九二八，四，八日於上海——

別盡情在那裏遊逛

綿綿的春雨，
　洗不淨你抑鬱的愁腸；
融融的東風，
　吹不了你滿腹的悽愴；
啊！你遊春的士女喲，
　別盡情在那裏遊逛！

宛囀的鳥語，
　敵不過那哀號的聲浪，
紅艷的鮮花，
　賽不過那人類的屠場；
啊！你遊春的士女喲，
　別盡情在那裏遊逛！

滔滔的熱血，

30　　　　　　夢　　　　　後

　才能洗滌你抑鬱的愁腸；
贔屭的白骨，
　才能架起你幻想的天堂！
啊！你遊春的士女喲，
　別盡情在那裏遊逛！

我們的邀請，
　是永常而不滅的安康；
我們的追求，
　是偉大而嶄新的造創；
啊！你遊春的士女喲，
　別盡情在那裏遊逛！

現實的歡樂，
　是未來的悲哀的餌香；
現實的痛苦，
　是未來的快樂的光芒；

別 盡 情 在 那 裏 遊 逛　　　31

啊！你遊春的士女喲，

　別盡情在那裏遊逛！

人生的眞諦，

　是繼續而不斷的反抗，

社會的奧義，

　是互相而協助的帮忙；

啊！你遊春的士女喲，

　別盡情在那裏遊逛！

　　　　　　——一九二八，二，六於梅縣——

給我理想的愛人

在革命的戰陣，

我們都是先鋒的士兵；

在人生的旅程，

我們都是忍耐的鐵軍；

讓我們永遠相愛相親，

讓我們永遠攜手吻唇；

永遠不要分開形影，

永遠不要拆散靈魂；

同去探求人類的光明，

同去建設爛燦的乾坤！

————一九二八，二，十於梅縣————

新 的 啓 示

連日都在黑暗的幽房困居，
幾乎沒有見着天日的機會；
今天偶爾踏出幽房的門扉，
不覺感到了一種新的啓示。

啊！我的身軀，啊！我的身軀，
你可曾看見春煦，看見春煦？
可曾看見春風吹綠了枯枝？
可曾看見春雨潤澤了大地？
可曾聽見柳陰鳴徹了黃鸝？
可曾聽見田間叫徹了蛙類？

你看着這種可喜的生機，
你聽着這種悅耳的聲氣；
你的血液曾否鼎沸？

34　　　　　　步　　　　後

你的靈魂曾否舞飛？
啊！這是個新的啟示，
這是你應該覺悟的時期！

你應該把過去的你丟棄，
你應該從新創造個新你；
我們應該做時代的先驅，
我們不應在時代的後尾．
啊！就從今日，就從今日起，
要從新創造個，創造個新你！

連日都在黑暗的幽房困居，
幾乎沒有見着天日的機會；
今天偶爾踏出幽房的門扉，
不覺感到了一種新的啟示！

　　　　　　　──一九二八，清明節於故鄉──

踏上荊棘之路去

青年喲，你快樂的童年，
不能再依舊為你而流連；
那苦悶的生活之第一篇，
從此就要開展在你眼前。
這是時間迅速之所使然，
你又有甚方法能夠避免？

青年喲，童年既不少住，
當然要踏上人生的旅途；
那你須看清途左與途右，
是光明呀還是一塌糊塗？
是不是吃人的魔鬼遍佈？
是不是荊棘叢生於道途？

青年喲，那裏荊棘叢生，

那裏更有惡魔縱橫飛奔?
我知道你到這步的時分,
因爲意志尚未十分穩定,
定將因受着打擊而灰心,
甚或因此而至消極輕生!

但是喲,你可莫要恐慌,
更不要因此而抑鬱心傷!
假如你是有絲毫的驚惶,
假如你是有絲毫的惆悵;
一定將爲黑暗之刺所傷,
甚或將爲黑暗重壓而亡!

起來罷,被壓迫的奴隸,
鼓起勇氣上荊棘之路去!
黑暗在你的後面而驅你,
光明在你的前面而示意;

踏 上 荆 棘 之 路 去　　　37

快快堅持你革命的意志，
勇敢地踏上荆棘之路去！

是的嘞，你欲久延生活，
只有這樣反抗黑晻壓迫；
黑晻是服從的永遠刑罰，
光明是反抗的必然獲得；
只要我們能努力的變革，
定能夠再登童年的天國！

　　　　——一九二七年二十日於家鄉——

粗 暴 的 幽 靜

永遠保持着罷　你偉大的　同情
聽　滴滴鮮血　滴在黑暗　乾坤
　　悽愴　悲慘　無倫
深沉裏　織進了　一聲　"拚命"

永遠維繫着罷　你反抗的　精神
看　纍纍白骨　纍積冷淸　環境
　　哀愁　冷酷　殘忍
慘淡裏　喊出了　一聲　"犧牲"

離別桑梓

別了，摯愛的摯愛的故鄉，
我不能再在你的懷中久躺！
雖然你有甜蜜的乳漿，
雖然你能宛轉的歌唱；
你能令我感着無限的舒暢，
你能使我消却無涯的悽愴；
但是，四面環繞着虎豹豺狼，
他們快要吞噬我這一個羔羊；
那我怎能在你的懷中久躺，
而投入牠們的嚴密的羅網！

別了，摯愛的摯愛的故鄉，
我不能再在你的懷中久躺？
今後我這一個弱小的羔羊，
就要離開你那溫柔的胸膛；

40 夢　後

就要在渺茫的世上，

開始去飄泊與流浪；

但是，我並不因此而悲傷，

反覺着前途有無限的希望；

因爲苦悶才能吐出分外美麗的歌唱，

因爲嘆息才能組成千古不朽的文章！

————一九二八，三，二十九————

嘆　　息

何處是我靈魂的歸宿，

何處能容我靈魂立足？

啊！我這飄零的靈魂呀，

至今還是如此落漠孤獨！

　　　　　　——一九二八，六，十一

給大世界裏的遊繩女

你有活潑的精神，
你有純潔的心靈；
爲甚要這麼的輕蔑自身，
來向人們賣弄你的風情？
是由於你的運命，
抑是你淫蕩成性？

啊！我相信這決不是你的本性，
更不是由於什麼運命；
這都是迫於你手困家貧，
這都是迫於你惡劣的環境．
啊啊！在這個黑暗的凡塵，
如你的呀眞不乏其人！

這環境只許富人搬弄我們，

給大世界裏的遊繩女　　　43

這環境不承認我們女子是人；
他們以為我們簡直是個玩品，
只能供他們拉去抱擁與洩精；
年青時不妨叫乖乖卿卿，
稍老時恐怕拉都不着人！

看呀！四馬路站着的野雞女人，
她們是怎樣的可憐與可憫！
幾年前她們何嘗不如我們，
到處都備受男人的歡迎；
但是，現在既經到了殘春，
有誰還願再與她們接近？

啊啊！她們是我們的後身，
我們決不可再步她們的後塵；
我們如果想有以自救我們．
須與工農共負改革社會的使命；

44　　　　　夢　　　　後

因此我們要殺盡摧殘我們的豪紳，
更要殺盡維繫舊社會的富人！

休息了罷，你婉囀的歌聲，
停止了罷，你窈窕的步行；
我們的喉嚨要為被壓迫者響應，
我們的技能要獻給工人和農人；
啊！這是我們應負的使命，
也只有這樣才能自救我們！

————一九二八，四，十六從大世界出來————

早 婚 的 苦 衷

．．．．．．．．．．．．．．．．．．．．．．．．．

．．．．．．．．．．．．．．．．．．．．．．．．．

．．．．．．．．．．．．．．．．．．．．．．．．．．

．．．．．．．．．．．．．．．．．．．．．．．．．

我拜別了我的友人，

便取簡道忽忽前行；

轉瞬就經過一個破屋的階下，

那裏有兩個女人在談閒話。

就中一個已是年老，

他個正是青春年少；

老的問："剛才來的那人，

是否想來給你定親"？

46　　　　　　夢　　後

年少的聽了她這末的問話，

臉上驀然幻起幾朵紅霞；

並且立刻離這老人而去，

只說？"這……這我……我不知"！

接着走出個中年婦人，

她含笑地答這老人的詢問：

"是的，剛才來的那個是媒婆，

她想來呀問我小女的那個……"

"男家家裏究竟怎樣？

你怎樣對那媒婆而講"？

老的又追問那中年婦人，

說着且注視那婦人的表情。

"我並沒有對媒婆開口"，

那中年婦人這麼答應老婦：

"我想男的既是二十以外的人，
可想而知他家裏的貧困"！

我一邊在走而一邊在聽，
至此才深深認識故鄉的情形；
才諒解家庭替我早婚的苦衷，
心不期然而爲故鄉社會哀痛！

　　　　——一九二六，十二，六於故鄉——

幽　懷

——給 我 名 義 上 的 女 人——

當我正在給我的朋友寫信，
忽而聽到一種嬌嫩的笑聲；
不覺感動了我心中的幽情，
憶起我那被我擯棄的女人！

村外環繞着高山幾座，
村內佇立着山莊幾個；
就中有一個比較新的山莊，
那裏藏着一個可憐的女郎。
她的顏容是異常的枯稿，
一望而知她有無限的懊惱；
她只對着棹上熊熊的蠟燭，
在思念她飄泊異鄉的心腹：
她想他這刻也在思念着她，

幽　　　懷　　　49

因為思念她至心緒紛亂如麻；

且至惹起無涯的愁悲，

且至盡瀝傷心的熱淚；

恨不得安慰她輾轉思念的苦心，

恨不得接受她懸念他的熱忱！

但她又想他也許在迷戀女人，

在汚濁的戀愛場中拚命鬥爭；

而忘記有她這一個可憐的少婦，

而忘記她往日對他慇懃的愛護；

把她擯棄到九霄雲外，

拒絕了她對他的熱愛！……

啊！她想到這些悲景，

心中頓起無限的苦悶；

眼淚不覺淋淋漓如燭。

不禁低聲地而暗哭！

50 夢 後

她唔哭了好一陣，
她想他決沒有這麼薄情；
他更不致於這末心狠，
就這樣把她丟在故鄉；
所以她又爲他祝福，
祝福他安居樂宿；
祝福他身體健康，
祝福他精神舒暢；
更希望他早日回家，
更希望他不探野花；
希望他努力藝術著作，
希望他努力研究科學；
准備他日就學東洋。
准備爲工農而幫忙！⋯⋯
啊啊！她想到了這裏，
不覺感着無涯的安慰；
她想他們的前途有無限的光明，

<table>
<tr><td>幽</td><td>懷</td><td>51</td></tr>
</table>

她隱約的看見彼岸快樂的女神；

雖然她旣很明白地知道，

今後難免有孤獨的愴惱？

今後難免挨受痛苦，

今後要踏荆棘之路；

但是，她只覺有無限的希望，

希望，把無涯的愴惱消亡！

啊啊！我的可憐的女郎，

你果眞如我現在的想像，

那我眞辜負你的心腸，

那我眞辜負你的雅望！

啊啊！現在我，現在我，

儘管在愛洶中揚帆輕歌；

忘記了藝術著作，

忘記了研究科學；

52　　　　　夢　　　　後

忘記了行將留束，

忘記了要救工農！

雖然我知道現在的婦女，

多是富人們洩慾的機器；

她們無不重富輕貧，

她們無不羨慕功名；

像我這樣囊無寸金的寒士，

像我這個粗暴不屈的叛徒；

想得到她們的青睞，

結果恐怕只有悲哀！

但是，她們有明媚的眼睛，

她們有飄挑的蓬鬆的髮鬢；

她們還有嬌嫩的聲音，

她們還有奪目的衣襟；

還有活潑的精神，

還有櫻紅的芳唇……

啊啊！這怎得不令我魂銷，

幽　　　懷　　　53

怎不令我把一切忘掉！

啊啊！我的可憐的女人，
我真辜負你的熱情；
我要受你嚴厲的治懲，
我要痛改過去的非行！

今後我不再迷戀美人，
今後我不再沉湎芳醇；
我將努力藝術著作，
我將努力研究科學；
准備做工農的鼓鐘，
准備做工農的役童；
准備隨着一般平民，
共負改革社會的使命；
以報你愛我的熱情，
以答你念我的慇懃！

54　　　　　夢　　　　　後

不過，要我早日回家，

那就恐怕成爲虛話；

固然我知道你孤獨的苦衷，

固然我知道你枕冷的怔忡；

但是，世界上還有許多工人農人，

社會上還有許多乞丐士兵，

他們沒衣沒食和沒住，

他們比你更來得痛苦；

他們正須要我們去喚醒，

正須要我們領導前進；

那能因我們私人的情愛，

竟至我們的工作有害；

何況我對於你只有憐憫，

沒有絲毫眞實的愛情！

啊啊！你可不要再望，

再望我這浪人還鄉！

幽　　　懷　　　55

啊啊！你聽了我這些報告，

我知道你將感着無限的懊惱；

但是，這都是由於殘酷的禮教，

禮教把我們兩人害了！

是呀！這都是由於禮教，

禮教，真是我們青年的鐐銬；

牠不知害死了幾許怨女癡男，

牠不知犧牲了幾許天才美豔；

牠破壞了人們純潔的愛情，

牠阻止了人們生命的泉源！

數千年來都是維飛一世，

如今又輪到了不幸的我你，

使我們起了無限的苦悶，

使我們生了無涯的悲憤。

啊啊！我的可憐的女人，

你可別恨我薄情：

56　　　　　戰　　後

這既然是由於殘酷的禮教，

那我們須把禮教根本打倒；

快來呀踏入革命的疆場，

為我們正在工作的同志幫忙！

當我正在給我的好友寫信，

忽然聽到一陣嬌嫩的笑聲；

不覺感動了我心中的幽情，

憶起我那被我擯棄的女人！

————一九二八二二於飄泊途中————

給　　她

窗外的雨是這麼的淋漓，

床上的我在輾轉的思維；

我想起了愛我的你，

我想起了你的身世；

不禁爲你揮灑同情的熱淚，

不禁爲你哭訴抑鬱的悶氣；

更不禁益堅我革命的意志，

更不禁增長我陷陣的勇氣。

我不是奔走青樓翠館的嬌兒，

我不是迷戀花容月貌的狂癡；

雖然你的顏容是這麼的美麗，

這美麗要令我的心醉；

雖然你的態度是這麼的嬌媚，

這嬌媚要令我的神飛；

58　　　　　夢　　　後

但是，我並不是因此而愛你，
止此，也未必能起我的愛意！

我愛你的溫情與柔意，
我慕你的純潔的思維；
我同情你可憐的身世，
我敬佩你不屈的勇氣；
聯合同情愛慕與敬佩，
便成我們中間的維繫。
啊！你是唯一了解我的知己，
你是我終身唯一的伴侶！

然怎麼我現在要匿在這裏，
不能到你那裏見你吻你？
更不能領受你的溫情與柔意，
更不能接受你的安慰與鼓勵？
啊！這豈不是黑暗的社會，

給　　　　她　　　　59

黑暗的社會給我們的恩惠：
但這對於我只有益利！
這對於我沒有害弊！

這只能給我們以鼓勵，
這只能增我們的勇氣；
只能增我們的革命的思維，
只能堅我們的革命的意志。
啊！你這黑暗的社會，
你我不能同存在此天地；
我們要與你決個我活你死，
我們要把你打個落花流水！

　　　　　——十七年次二月於難中——

除　　夕

時光的迅速波濤，

真快得出人預料！

年宵——

分明才在昨朝前朝，

今宵——

不料除夕既經到了！

是的，除夕既經到了，

這一年又要完了！

囘憶這一年的光陰，

我就要，我就要痛心！

這一年我儘管在迷戀美人，

這一年我儘管在羨慕虛名，

儘管在追逐過去的幻夢，

儘管在歌詠秋月和春風；

除　夕　61

儘管在逐流隨波，

儘管在墮落懶惰！⋯⋯

啊啊！這一年，這一年，

我眞是罪惡滔天！

但是，除夕既經到了，

這一年就要完了；

我願我的罪過，

也隨着這一年的光陰而消磨！

從今後不再迷戀美人，

從今後不再羨慕虛名；

不再追逐過去的幻夢，

不再歌詠秋月和春風；

不再逐流隨波，

不再墮落懶惰⋯⋯

啊啊！不再，不再，不再，不再，

迷戀過去的骨骸！

62　　　　　夢　　　　　後

是的,不應迷戀過去的骨骸,
那只有憂愁,愴痛與悲哀;
那不能安慰我的苦心,
那只能使我的青春消沉!
要是想贖囘我滔天的罪惡,
須當收束我放浪的生活;
須當拜別青春的歡欣,
須當獻身工人和農人;
須當做時代的先驅,
須當做工農的奴隸!
啊啊!新年快要到了,
新我也該生了,生了!

時間的迅速波濤,
眞快得出人意料!
年宵——

除　　　夕　　　63

分明才在昨朝前朝，

今宵——

不料除夕既經到了！

——十五年末日故鄉——

留　　別

明天，就是明天我就要向外逃走，
從此，從此我就要開始在外飄流；
但是，你愛我的情婦，
現在我沒有什麼葡萄美酒，
這裏我只有傷別酸淚一甌！

飲罷，請盡飲我傷別的酸淚一甌！
此別，此別不知有無再見的時候；
但是，你愛我的情婦，
我熱烈的亦心既爲你所有，
他人再也不能入我的心頭！

我知，此去有若大海裏一葉孤舟，
想求，想求舒適的生活恐怕沒有；
但是，你愛我的情婦，

留　　別　　65

　　請你千萬不要爲我而担憂，
　　而至使你自己的顏枯身瘦！

　　暇時，假如暇時你要留心的自修，
　　不要，不要被思念佔珍貴的時候；
　　可知，你愛我的情婦，
　　雖然說是思念在你的腦海，
　　其實却是創痛在我的心頭！

　　不要，不要計較他人的冷嘲熱罵，
　　不要，不要因環境的惡劣而哀愁；
　　可知，你愛我的情婦，
　　在此革命尚未成功的時候，
　　這些呀是正義唯一的報酬！

　　明天，明天我就要開始向外逃走，
　　這裏，這裏只剩下了這歪詩一首；

66　　　　　　　戀　　　　後

但是，你愛我的情婦，
你的心永遠留在我的心頭，
不怕到了天老地荒的時候！
　　　　　—— 別離故鄉的時候——

端　　午

連日來因爲種種事情的失望，
季節月日一概都被我遺忘；
今天醒來忽然聽着爆竹的聲浪，
才使我知道今天就是端陽．

遙想這時的故鄉也正爆竹連天，
遙想故鄉的弟妹也正喜笑言晌；
但是我，我還在棪綱床上輾轉，
想起來呀眞不禁肝腸痛斷！

前年的五月我還在枯燥的學校，
去年的五月我又在爭鬥的營巢；
滿望今年的五月在家裏團聚一遭，
誰知又要流落在這文明的囚牢！

68　　　夢　　後

我現在旣被這文明的囚牢監禁，
在這裏幾乎不敢稍爲一動；
唉！唉！我親愛的祖羣，我可憐的櫻容，
別了！別了！我永遠不能再和你們相逢！

祖羣喲，雖然現在天氣旣經很熱，
但圍着我週身的還是一片白雪；
這白雪如今現出了你們的顏色，
我知道你們現在呀正因我而悲惻！

啊！在這樣骯髒污濁的囚牢，
在這樣冰冷殘酷的雪窖；
怎及在你們溫柔慈愛的懷抱，
但事旣如此，我又怎得不逃！？

我自幼就是傲骨而不肯被人欺凌，
我成年又怎能不反抗剝削我們的敵人，

當我知道了只有工農才能代表未來的光明，
我又怎得不毅然決然投入他們的戰陣？

啊！我自投入他們的隊中，
莫不極力地摒除小資產階級的行動；
雖然沒有多大的成績為工農進貢，
但是，自信呀從來沒有怠工！

正是因為不敢怠工的緣故，
祖若呀，我幾乎要棄你們而不顧；
固然我知你們為此莫不流淚而悵惘，
但我相信工農比你們無論如何都要痛苦！

誰知我這樣的意志只促我走入囚牢，
我這樣的決定只把我陷入窄牢，
祖若呀，若果你們現在知道我的苦惱，
我相信你們一定要為我呀捱憂心焦！

70 夢 後

但是我並不因此而自怨，
身雖既經冰冷，血却還在沸騰；
別了！別了！我永遠不能再和你們相見，
現在呀我就要去與敵人死戰！

啊！我可憐可憫而被我擯棄的櫻容，
你不要呀因我的永別而悲痛；
其實我就是永遠留在家中，
你我也是永遠不能相容！

你也不要怪我這浪人薄情，
我們倆人都是社會的犧牲；
假如你是因此而怒憤，
那末來吧，我們同入這個戰陣！

現在我們的敵人益發狡猾，

端　　　午　　　71

現在我們的前途益多磨折；
我知道此去難免流血，
但我反覺無限的歡悅！

流血！流血！血是我們的聖水，
牠將潤澤枯燥的大地；
更將把我們的敵人淹死，
流血！流血！快把我們的血流遍寰宇！

他們有錢人現在穿着紅紅綠綠，
他們有錢人現在准備魚魚肉肉；
我這窮人只好把自己的鮮血染紅自己的衣服，
只好勇敢直前去吞食敵人的腸腹！

啊！我不悲哀，我不失望，
我不憂愁，我不心傷；
我要勇敢地戰死沙場，

72　　　　　　夢　　　　　後

我不希望呀有明年的端陽！

——一九二八六二十三——

勞 働 童 子 的 呼 聲

不要以為我們現在年輕，
還不應該過問一切國政；
可知我們是未來的主人，
我們有創造歷史的使命！

我們也同樣為父母所生，
我們也同樣為自然養成；
為甚他們富人的兒女却如此逸心，
我們窮人的兒女却要如此的苦辛。
啊——
這都是由於我們的父母家貧，
我們的父母沒有閃人的金銀！

但是我們的父母終日這麼的慇懃
而他們的父母終日沉醉醇酒美人；

74　　　　　夢　　　後

為甚勤勞的反弄得如此家貧，

安樂的反而撈得大幫的金銀？

啊——

這都由於現社會的組織不行，

現社會的組織只合那些富人！

現社會只許富人剝削我們，

現社會不許我們反抗富人；

現社會只許強者禍國殃民，

現社會不許我們苟全生命。

啊——

我們如欲自救我們自身，

非先把現社會粉碎不行！

現在我們的父母既經開始這個工程，

現在我們的父母既在沙場廝殺拼命；

他們勇敢地去殺軍閥豪紳，

他們不怯地爲我們而犧牲。

啊——

我們要助他們完成這偉大的使命，

是誰說我們不應該過問一切國政？？

我們有純潔無瑕的心靈，

我們有百折不撓的精神；

管他媽的槍礮與金銀，

最後的勝利終屬我們。

啊——

殺敵人當作敵人是泥土所造成，

殺敵人當作敵人是草木的化身！

我們要焚燒資產階級的樂園，

我們要毀滅特權階級的文明；

我們要粉碎現實的凡塵，

我們要創造光明的乾坤！

76　　　　　　夢　　　　後

啊——

只有我們才能代表未來社會的光明，

努力呀我們要努力向前厮殺與拼命！

我們是未來的社會的主人，

不要說我們不應過問國政；

我們年齡雖輕而責任却不屬輕，

我們要挽救一切被壓迫的人們！

　　　　　　　　　——一九二八，三 十五——

殘　　春

雨是這麼的淋漓，
風是這麼的狂吹；
一春的芬芳與美麗，
就在風雨交攻之下消逝！

落花敗葉片片地紛飛，
他們卒墮落醍醍的污泥；
但是，無人為他們問起，
只有杜鵑在悲哀的鳴啼！

我今天偶爾在這園中徘徊，
見了這種情況莫不想起我的身世
啊！我的身世就好像這些花枝，
現在我的顏容旣經比花瓣還要枯萎！

78　　　　　　　　夢　　　　後

在幾年前我的臉上有兩朵紅霓，
有如幾日前的櫻殼花嬌娜美麗；
曾惹起許多青年的朋友為我讚美，
也曾惹起許多青年的朋友為我下淚！

但是，曾幾何時，曾幾何時，
一旦弄得這樣的憔悴；
臉上的韋紅既經完全消逝，
只見得日益趨於萎靡！

不獨是外表如此萎靡，
實在內心也次第憔悴；
對於追求異性的勇氣，
如今既不知何去！

對異性我曾經我盡心機，
但仍然還是落漠空虛；

殘　　　春　　　79

不曾得到她們絲毫的安慰，
只落得心兒被荊棘刺碎！

從此我認織了現實的社會，
這裏沒有愛神立足的餘地；
我這古井般的心裏，
永遠不能再起漣漪。

但雖然我也知道我將如落花般墮入污泥，
而我並不因此而戚愁顧慮；
在未死之前我要與敵人決個誰活誰死
不同歸於盡呀我不平心靜氣！

難道說只要熱愛那些妖女，
難道說工農們就不是人類？
'啊！讓我們永遠相攜，
我愛你們，啊，你們勞働兄弟'！

80　　　　　　　夢　　後

我身邊雖然沒有妖豔的肉體，
但我心中有許多勞働的兄弟；
虚們將像愛人般給我以安慰，
他們將像愛人般給我以鼓勵！

我臉龐雖然現在弄得這麼的憔悴，
但為工農而犧牲實偉大而可佩；
那末為甚還要嘆息噓吁，
"工農喲，我為你們可捐軀"！

不怕急雨像對花般把我殘摧，
不怕狂風像對花般把我亂吹；
就使被他們迫入了污泥，
我的意志呀決不因此轉移！

他們要我死便痛快地死，

残　　　　　春　　　　81

人生橫豎也有這麼一囘；
以其零星被他們搾取，
倒不如為着自由而戰死！……

我對着落花想起了我的身世，
不禁這樣接着吐出了一肚憤氣；
但憤氣也只不過憤氣而已，
並沒有絲毫幻滅的情緒！

我確定敵人終歸有日要死，
我們終能得到最後的勝利；
今日杜鵑頻頻的哀啼，
是我們異日勝利的讚美！

管她媽的水淋漓，
管她媽的風狂吹；
我們要乘這個機會，

82　　　　　　　夢　　　後

把敵人殺得個落花流水！………

　　　　　　　——一九二八,五,十一——

夢　後

（一）

昨夜我做了個奇特的怪夢，
和既死掉了的故國的世紀相逢，

我看見倡道慈儉不敢先的李耳，
我看見三千門徒圍繞着的仲尼；
我看見教人兼愛的墨翟，
我看見平治洪水的夏禹；
我看見行吟江畔的屈原，
我看見高歌湖岸的賈生；
且看見建築長城的無名的巨匠，
且看見開闢運河的義勇的健將！……

啊啊！好偉大的天才，
好寬廣的胸懷；

84　　　　夢　　　後

多麼的多麼慷慨，
更多麼的多麼雄魁！

我昨夜做了個奇特的怪夢，
和既死掉了的故國的世紀相逢！

我看見堯帝時代的故國，
我看見大舜時代的樂域；
那時氣候異常的温和，
沒有些捲葉掃地的風魔；
荊棘野草也無從而生，
豺狼虎豹也匿跡潛形；
只充滿了濃烈的色香，
只瀰漫着和諧的音浪！

啊啊！天空是何等的澄清，

夢　　　　後　　　85

春光是何等的媚明；
那樣和諧的音韻，
那樣舞跳的美人！

我昨夜做了個奇特的怪夢，
和既死掉了的故國的世紀相逢！

看了那時慷慨的英雄，
看了那時時代的先鋒；
我覺着無限的喜慰，
我覺着無涯的欽佩；
尤其看了那時愉快的天國，
看了那時人間的樂城；
我更覺得榮耀，
更覺得足以自傲！

86　　　　夢　　　後

啊啊！是何等的榮耀，

是何等的足以自傲；

在潔淨的陽光中洗澡，

在健全的空氣中舞跳！

（二）

但是，甚麼，甚麼，

突然是一片焦土，

滿眼都是鮮血和頭顱！

但是，為甚，為甚，

突然是一座荒墳，

變成了可怕的寂靜！

啊啊！是的，是的，

方才是在夢裏，

這才是現實的社會！

啊啊！是的，是的，

方才是在夢境，

這才是現實的乾坤！

（三）

是的呀！現實的社會眞是糟糕，

簡直是我們人類的囚牢！

左有餓狼瘦豺眈眈在視，

右有饑虎悍豹張牙弄爪；

前面縱橫着重重疊疊的荆棘，

後面叢生着蓬蓬勃勃的野草；

可憐我們這些柔順的羔羊，

整日地默默然而不敢一嘯；

更不敢起頭伸腰，

更不敢歌唱舞跳！

98　　　　　　珍　　　　役

是的呀！現實的社會眞是糟糕，

簡直是我們人類的囚牢！

這裏有資本主義，

這裏有封建思潮；

這裏有宗法思想，

這裏還有舊禮教；

可憐我們這些弱小的百姓，

任憑他們如何束縛與鐐銬；

而致於終日勤勞，

還不得衣暖食飽！

是的呀，現實的社會眞是糟糕，

簡直是我們人類的囚牢！

外有兇殘的帝國主義，

內有殃民的軍閥官僚；

左有剝削脂膏的廠主地主，

夢　　　　後　　89

右有助桀爲虐的劣紳土豪；
可憐我們這些貧窮的工農，
任憑他們如何殘殺與囚牢；
吸盡了我們的脂膏，
殺盡了我們的同胞！

是的呀！現實的社會眞是糟糕，
簡直是我們人類的囚牢！
這裏沒有了公理，
這裏沒有了人道；
也沒有了自由，
也沒有了法條；
只有醜和惡，
只有魔和妖。
啊啊！我的心旣灰掉；
我不忍，我不忍再活了！

90　　　　　　　　夢　　　　後

（四）

啊！快死，還是快死，

活着還有什麼意義！

難道說留了這條尸體，

代資本家賺錢營利？

難道說生育多些女兒，

代資本家增加奴隸？

啊！活着有什麼意義，

還是快死，快死！

啊！快死，還是快死，

活着還有什麼意義！

我不願留了這個行尸，

給強者做昇官的工具；

更不願生育我的後裔，

給富人做發財的利器！

啊！活着有什麼意義，

還是快死，快死！

（五）

但是，天生我才必有用，
不可輕易將性命斷送；
環境若不適我們生長，
只有努力和環境反抗；
可知黑暗行將散盡，
社會到底總會光明！

是的，月缺還能復圓，
光失也能復全；
只要我們努力反抗，
社會自會重光；
而這反抗的別名，
就是社會的革命！

92　　　　夢　　　後

革命,啊,我當努力革命,

我不應該,絕不應該輕生;

革命是光明的救主,

革命是黑暗的屠夫;

要把這黑暗的社會改造,

只有速上革命的大道!

（六）

啊啊!我過去是怎麼的錯誤,

將有用的時光白白的虛度;

過去我是怎麼的浪漫,

將自己的青春隨意的送斷;

忘記了自己是被壓迫的青年,

忘記了自己既陷入苦悶的深淵!

是的,我是被壓迫的青年,

我既經陷入了苦悶的深淵!

夢　　　　後　　　　93

我心——宛如熬煎，

我身——痛苦連天；

啊！可憐——

我這被壓迫的青年！

是的，我是被壓迫的青年，

我旣經陷入了苦悶的深淵！

枷板——常在雙肩，

自由——永在雲烟；

啊！可憐——

我這被壓迫的青年！

但是，我應該設法自救，

不應坐視死神臨頭；

我應走向革命的大道，

把這黑暗的社會改造；

然而，這決不是什麼兒戲，

94　　　　　　夢　　　　後

須先把舊的觀念完全遺棄！

（七）

是的呀！要把社會改造，
須把舊的觀念完全棄掉；
雖然對於他們生了難舍之情，
但是，欲不別而不得不了！

花月文章，
確是美麗而鏗鏘，
惹人愛誦且愛唱；
但是，謝謝你——
我從此不再吸你的芬芳；
因為你建在鏡花與水月之上，
不能安慰我抑鬱的愁腸！

才子賢人，

夢　　　後　　　95

確是誘人的芳名，

惹人羨慕且愛敬；

但是，謝謝你——

我從此不再望你的門庭；

因爲你埋在千年萬載的荒墳，

不能安慰我抑鬱的心情！

美人的秋波微送，

可以減却許多苦痛；

但是——

我再也不敢發戀愛之夢，

因爲她是須要黃金！

飄渺的掀天幻夢，

可以聊慰憂鬱心胸，

但是——

96　　　　　夢　　　　後

我再也不敢有這種舉動，
因爲她是苦悶之種！

啊啊！一切的喲，請了，
我要去把社會改造；
在社會革命尙未成功之前，
恕我不能再和你們相交！

（八）

啊！我的不屈的靈魂，
現在再讓我重補一聲：

你莫要——
　　迷戀多情的美人，
　　沉湎芳烈的酒精；
更莫要——
　　羨慕無謂的功名，

景仰富貴的門庭！

你莫要——

　　濫用了你的熱情，

　　失掉了你的眞心；

更莫要——

　　浪費了你的聰明，

　　白逝了你的青春！

可知道——

　　你的年齡尙靑，

　　你的精力充盈；

　　你是未來主人，

　　你的責任非輕！

可知道——

　　我們的赤心和熱情，

98　　　　　夢　　　　後

要獻給工人和農人；

我們的青春和聰明，

也要爲工農而犧牲！

— 一九二六十六爲投身革命紀念而作——

後　　記

後　記

　　這一集歪詩，是我初期作品中的一部．我的年齡很輕，我的經驗不多；自然，這其中定有許多地方是幼稚而且粗莽．但是，不幼稚便不能走到成熟的時期，不粗莽便不能打破萎靡的空氣．她雖然是幼稚而且粗莽，也未始不可以作走到成功路上的橋梁；所以我敢大胆地給她出世，獻醜讀者諸君之前。

　　親愛的讀者喲！如果真正的革命詩歌出現的時候，我當到你們面前自首，把這些畸形的作品執行死刑！

　　我很不安而且慚愧，自從戰敗歸來，日夜都匿在黑暗的書房，寫讀什麼革命文學！既沒有在刑場上給敵人分屍梟首，又無機會到戰線中衝鋒陷陣．固然，我也常常以"社會構造的上層建築，與下層建築，是互相為用的；挖牆脚是我們的進攻，揭屋頂也是我們

100　　　　　　　夢　　　　　後

的辦法"這類話自慰；但是──

　　"啊！假如人只這般地囚在書齋，

　　每逢年時歲節才偶爾出外；

　　對於外界只是從老光鏡的遙瞻，

　　怎能用言說來指導世界？"（自浮士德）

　　所以我很想再入戰場，重來一番；同時更希望讀者能夠先我而去。

　　親愛的讀者喲！

　　"這是我們准備時候，

　　我們還有重任在前頭！……"（自十二個）

　　布洛克先生說："用你全身，全心，全力靜聽革命呵！"

　　蔣光慈先生說："用你全身，全心，全力高歌革命呵！"

　　我這窮小子說；"用你全身，全心，全力努力革命呵！"

後　　　記　　　101

　　這是時代的進步，非小子故意高蹈；（其實光慈
先生早既先我而認識實踐的意識了。）實在的，現在
不是靜聽或高歌革命的時代，而是努力革命的時代
了！

　　親愛的讀者喲！

　　"四週都是火，火，火……

　　把槍上的皮帶背妥！……"（自十二個）

　　本書付印之前，承我的老哥勁夫，和我的老弟孤
鳳爲我校正，做序，及思權君爲我作封面。在此特向
他們道謝一聲！

　　末了，讓我一誦我最愛讀的幾句詩，作爲本文的
結束罷！

　　"我們是自由的鷗鳥，

　　是時候了，兄弟們，是時候了；

　　——去罷，

102　　　　　夢　　　後

向那烏雲後面閃耀的孤山；

——去罷，

向那無邊際的慰藍的海邊！……"

（自普希金詩集）

——一九二八，六，二十八憲章記於上海——

纖手

羅吟圃 著

羅吟圃（1908～1999），廣東豐順人。

泰東圖書局（上海）一九二八年七月出版。原書五十開。

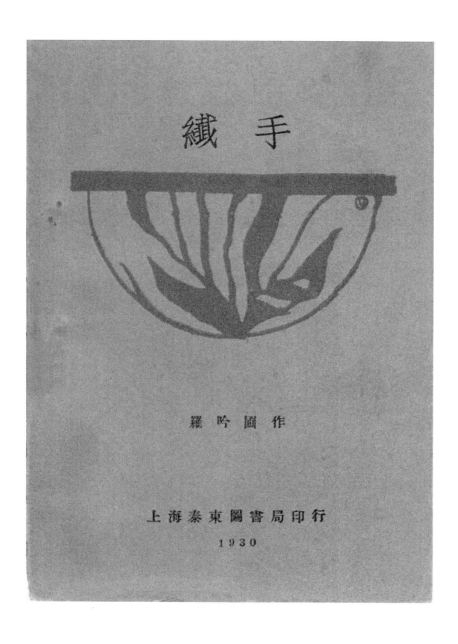

纖手

羅吟圃作

上海泰東圖書局印行

1930

纖　　手

羅　吟　圃　著

1929

To

Miss Helen Liu

EREWHILF, .efore the world was. old,

When violets grew and celandine,

In Cupid's train we were enrolled :

       Erewhile !

Your little hands were clasped in mine,

Your head all ruddy and sun-gold

Lay on my breast which was your shrine,

And all the tale of love was told :

Ah, God, that sweet things should decline,

And fires fade out which were not cold,

       Erewhile.

                        E. DOWSON

目　　錄

來！我們築一座宏麗的墓園 ·············1

九月的西風吹不住···············2

有照着鮮花的暖日 ·····　·········4

賜我這螢螢的白燭一枝 ·····　·····5

是你告訴了杏花瓣············7

我就不信你完全無意············8

給我一個美的青春····　········10

坐看着遠連天線的麥田 ·········11

活着我無多奢求·········　······13

黃昏裏背立着燈光·············14

今宵的雨聲我不怕聽……………………………16

我們在悵惶中相見………………………………18

你只要給我十分鐘………………………………19

我心裏只是凄然…………………………………21

在濃霧迷漫的春晨………………………………22

幽幽的………………………………………………23

看曉月已是西沈…………………………………25

半焦黃的林葉瑟瑟………………………………27

天教我們在樓梯上相逢…………………………28

昏昏沈沈倦開眼…………………………………29

我狂吻着猙獰的土偶……………………………31

柳影從草上移到水面……………………………32

隔了幾天還沒來信………………………………34

淡花影……………………………………………36

同栽在籬畔的薔薇………………………………37

臨走時同栽下的薔薇⋯⋯⋯⋯⋯⋯38

有個淒寂的池塘⋯⋯⋯⋯⋯ ⋯⋯39

千江眾攏了霧白的夜色⋯⋯⋯⋯41

爲受了我灰白的接吻⋯⋯⋯⋯⋯43

愛嫺，你必要記住這個際⋯⋯⋯44

我們兩個管領着這深的靜夜⋯⋯45

寒宵裏還儘是徘徊⋯⋯⋯⋯⋯47

不用哭泣罷，我的姑娘⋯⋯⋯⋯48

又是一場失望的分手⋯⋯ ⋯⋯50

飲此一杯，送別那美好的青春⋯52

只剩小紅花在秋風裏頦動⋯⋯⋯54

我心如像一座寂寂的禪院⋯⋯⋯56

我如今眼角已褪盡了淚痕⋯⋯⋯58

繁華的夏夢已過⋯⋯⋯⋯⋯⋯61

殘燭還吐着青黃的微光⋯⋯⋯⋯63

如今只好離開這廣漠的荒園⋯⋯65

紅窗中不見你黑髮蓬蓬……………………66

姑娘你給我劃一根火柴………………………67

你請把頭兒埋在我的懷間……………………68

我飲酒服藥一樣地慇懃………………………70

今天我來送你上船……………………………71

　　後記(斯曠)

　　編後題記

纖　手

來!我們築一座宏麗的墓園

來!我們築一座宏麗的墓園，
在生之原中,在時之野裏;
有不凋的花,有長青的樹,
有刻劃着「愛」字的墓碑,

有眉月的清芬,驪陽的燦燦,
有美妙的鳥曲,歡樂的流泉.
在這刹那的不朽的墓裏,
埋葬了我的芳春,你的妙年!

2 纖 手

九月的西風吹不住

九月的西風吹不住，
半空裏翻飛着戰慄的紙鳶，
繫住牠的是纖細的紅線，
挽着線兒的是個姣好的姑娘，

紙鳶不住的翻騰搖擺，
牠並不是快樂得瘋狂，
牠滿懷的恐怖和希望，
惄惄地在哀懇那姑娘：
"不要放手喲，慈悲的姑娘！
請你把線兒牢牢緊牽，
莫教那西風把我吹去，
我怕喲，那無着落的飄零！

纖 手 　　　　　　　　　　　　　　3

"把我收下喲,慈悲的姑娘!
把我收落在你的身邊,
我怕喲,西風會把我吹去,
吹墜在那無底的深淵!"

4　　　　　　　　　　　　　　　　　織手

有照着鮮花的暖日

有照着花圃裏鮮花的暖日，
有吹過土墳上枯草的春風。
生的榮華與死的孤寂——
姑娘，你看，同樣的受到愛寵。
我心裏的冷灰今已重燃，
如像土墳的枯草逢着東風；
我對你掬出那不變的情愛，
姑娘，不用遲疑你的愛寵！

贈我這瑩瑩的白燭一枝

贈我這瑩瑩的白燭一枝，
我可領會你的微意——
爲憐我夜夜獨自淚垂，
今宵可有了流淚的伴侶！

把燭兒在床頭點起，
淒光裏，惹起茫然的悲哀：
茫然地念着那憔悴的你，
沒奈何，只把臉兒貼着白燭依偎！

眼淚和燭淚在頰上交流，
凝結着的是我們的幽怨。
眼看着白燭寸寸的消融，
心情正和燭影一樣的飄散，凌亂！

6   纖 手

白燭就看看燃殘，

我的眼淚何時始乾？

可憐是燭兒燃完了時，

你又怎知道我依舊獨自淚零？

纖 手　　　　　　　　　　　　　　**7**

是你告訴了杏花麼

是你告訴了杏花麼？
牠一一見我就低頭。
是你告訴了黃鳥麼？
牠對我唱個不休。

透漏了這秘密的消息，
教滿園頃刻都傳遍。
你再走過玫瑰叢時，
多管你同樣的紅了臉！

8 纖　手

我就不信你完全無意

我就不信你完全無意，
妙年的女郎誰個有鐵般的心腸？
這些時你的衣飾越來得齊整，
你走過時的氣息越來得香．

假如你心中全無所動，
遇見時，你便不會含羞低頭；
難道我們未相逢時，
你也整天的獨自倚樓？

姑娘喲．妳好的姑娘．
你的幽心可給我猜透！
你別再怕羞，別再裝作，
這樣，只虛誤了我們的歡樂．

纖 手   9
────────────────────────────────────

趁着這美好的青春，
愛我吧，姑娘，我已準備來愛你；
我心中沒有一刻的安閒，
你還要裝作到什麼時候？

10　　　　　　　　　　　　　　　　　　　　織　手

給我一個美的青春

給我一個美的青春，

給我一個新的靈魂；

在你的微笑中，我嗅了情愛的花朵，

在你的眼波裏，我飲了生命的芳醇！

呵，溫存，無畏的溫存！

美麗的世界，而今於我有分．

我領悟了人間戀愛的莊嚴，

自從見你時的一瞬．

坐看着遠連天線的麥田

坐看着遠連天線的麥田，
盡浸滿了軟紅的光波。
呵，我心中廻蕩着歡快——
我的情人剛從這裏走過。

她的裙衣在麥上飄揚，
輕風中，我聞到一陣好香。
她婀娜地從這小徑行過，
呵，這小徑，我要重行過一千遍。

也不招呼，也不點頭，
假裝得像不相識的一樣。
你這樣還裝得不自然，
因爲你忘記收斂了笑臉。

12   纖 手

故意的把臉兒藏得低低，

好教我石出百倍的嬌柔，

你旣是不願讓我看看，

爲什麼跑得老遠了還要回頭？

麥田裏滿浸了軟紅的光波，

我的情人剛從這裏走過；

我心中浮蕩着縹緲的悵惘，

明天夕陽時，我定還到這裏來坐。

活着我無多奢求

活着我無多奢求？
不羨榮華，不慕隱幽；
只願那白白的纖手，
捧給我一杯青春的濃酒。

死了我情願葬荒坵：
不用墓碑，就只黃土一坏；
只願那白白的纖手，
將花朵撒滿我墓頭。

14   纖 手

黃昏裏背立着燈光

黃昏裏背立着燈光，
瘦白的信箋在手裏顫動。
心中激起了悔恨，忏懼，
我滿臉漲起了潮紅。

"我們呆立在池旁，
我真想把你抱住親吻，
我當時不該那樣的怯弱，
此時嚜，我想悔得心痛！"

我當時也正一樣的迷亂，
我還在怪你太矜持．
把這個時機輕易的放過——
如今嚜，我們已隔着千萬里。

纖手   15
──

這無情的空間遙遙，遙遙，
我那能再飛到你的身邊？
相逢時喲，請你不要忘記——
我定抱住了，吻過一千遍！

16 　　　　　　　　　　　　　　　　　　　　　織手

今宵的雨聲我不怕聽

今宵的雨聲我不怕聽，
橫豎這心是沒一刻的安寧，
我知道什麼都任和我爲難，——
這雨，和那少女冰冷的心！

你就像無知的石像，
一點不懂得我的慇懃，
你就像石像的冰冷，
我的慇懃打不動你的心！

窗外瀟瀟的又是一陣，一陣，
無情的雨，我不怕你就下到天明！
我就挨着整宵的不睡——
睡了，教你來把夢魂驚醒！

纖 手　　　　　　　　　　　　17

看我今宵轉側到天明，
絲絲的柔情，都已變成怨恨！
唉，一般的無情，一樣的無情，——
這雨，和那少女氷冷的心！

我們在悽惶中相見

我們在悽惶中相見，
我們在沈默中別離。
爲什麼心中的苦情萬縷，
不在相見時抽出一絲？

你委實不用那樣矜持，
你只低着頭不敢平視，
你賺了我跑了這千萬里程，
你喲，始終都默無一語。

滿江的細雨迷濛，
我倚着船窗回望來處。
我這時心頭難言的空虛，
你敎我向誰傾訴？

纖　手　　　　　　　　　　　　　　　19

你只要給我十分鐘

你只要給我十分鐘——
讓我佔有你十分鐘.
你的生命是那樣長,
這十分鐘,你不應慳吝!

只要你坐在我的身旁,
或則是倒在我的懷裏,
給與我一朵微笑輕翳,
那時嚇,我將瞑目長逝!

這微笑將成爲我一生的收成.
呵,你只要給我十分鐘,
你的生命是那般長,
這短短的剎那,你不應慳吝!

我心裏只是凄然

我心裏只是凄然，凄然．
呵，我如何才能表白我的衷腸？
剛才你分明看見我走過，
只是你却把臉兒他向。

這惱恨不是偶然，
我知你定幽怨纏綿．
可是，多情的姑娘喲，
你須代我設想！

我非不感你樓頭招手的慇懃，
非不懂你草上遺花的深意；
可是，姑娘，你定知道得細詳：
我已鍾情在你的那位妹妹！

纖手   21
————————————————————————

如今休怨吧，多情的姑娘，
我原不值得你的愛憐。
呵，我又望你能够怨我、恨我，
你的怨恨，減少我痛苦的思量！

在濃霧迷漫的春晨

在濃霧迷漫的春晨，

那裏來的花香襲人？

我分明知道那是朵不尋常的好花．

尋遍了原野與山坳，

一切尋找都是徒勞．

姑娘，你是那春晨霧裏的香花．

山溪裏的清流縈迴．

有小舟溪上泛來，

我分明知道那是到樂園去的小舟．

小舟只管向前流蕩，

我空立在湄上呆看．

姑娘，你是那到樂園去的小舟．

幽幽的

幽幽的

冷光，

悄悄的，

逗山橋！

迷離的

竹影，

浮動的，

幽靈的出現！

溪流

琤琮地——

哀怨的夢囈——

偷泣，低頭！

24 綠

"姊姊呵，
這雙星！，,
淒涼的
你和我！

看曉月已是西沈

看曉月巳是西沈，
黑夜躲藏在牆陰．
進去罷，把門兒輕敲；
進去罷，呵，這怦動的心！

雙環在門上睡眠，
四邊喲，沈沈，靜靜！
她是穩睡繡衾；
我喲，滿心的悽惶，忐忑！

從日斜苦悶到中宵，
從中宵坐起到天明：
這樣的巳經過許多朝夕，
為了她，我巳經與死為憐！

26　　　　　　　　　　　　　　　　　　　織　手

這樣的煩惱到幾時，
這樣的思想，唉，我已够受；
憑她愛也罷，不愛也罷：
拚死命，我決心探試！

把這殘生拋在她的足旁，
是生是死，憑她去處置！
依仗那微弱枯澁的聲音，
"姑娘喲姑娘，我愛你，愛你！"

看曉月已是西沈，
一宵的思維，一宵的決心！
輕輕的把門兒敲罷，
呵，怎的我兩手難舉淚漓襟！

半焦黃的林葉瑟瑟

半焦黃的林葉瑟瑟，
淺水池旁，日軟風輕。
偏草地都坐滿了情侶！
只有我個人是孤零！

要是我原沒有情侶，
我倒死心地領受這凄清；
只是有了你偏又不在，
我才滿心的惆悵，不平！

過去的密約已無踪可尋，
眼前的佳景又讓牠虛度。
難道不愛聚首時的懽忻？
一個在家愁思，一個在這裏無心無緒

28　　　　　　　　　　　　　　　　　　　握 手

天教我們在樓梯上相逢

天教我們在樓梯上相逢：
你向高層，我向地窖．
驀然的駐足，趑趄，
會時匆匆，別時也匆促！

留下的是溫柔的一盼，
會心的微笑，憐愛的深情．
命運已把我們的方向指定，
回身不得，只各趨自己的前程．

從此後你是向高處上升，
我向低處墜落層層！
剎那的依違回頭已杳，
人間天上，永遠不相逢！

昏昏沈沈倦開眼

昏昏沈沈倦開眼，
聽催命的琴聲在壁上輕彈。
我留着已是不久，
你也用不着彈得這般忙。

微聞到蒼白的藥香，
藥瓶啊，多謝你伴我淒涼！
我終怕辜負的你好意；
呵，誰能為我加進一滴毒漿？

暗地裏我細自思量：
我來人間原是小住，
去去留留，我該無所偏，
我生前無歡，死了定無苦。

80 　　　　　　　　　　　　　　　　　握 手

莫把焦黃的秋葉

莫把焦黃的秋葉，
捧住了豔紅的玫瑰：
成全了嬌花的美好；
越顯得枯葉的憔悴。

好細你歡樂之杯，
滴進了苦辣之淚：
飲時你也將哀傷，
會把手中的玉杯碰碎。

低頭我自傷孤獨，
看你們歡舞一對對。
你們當我是個丑角，
來點綴今宵的宴會！

我狂吻着猙獰的土偶

我狂吻着猙獰的土偶，
在這狂風惡雨的深宵。
我狂吻着猙獰的土偶，
在這荒涼恐怖的山廟。

殷紅的血唇！貼着冷冷的死臉，
火熱的手，按着強硬的胸腔！
我的心臟顫劇的急跳，
碎裂時，我倒在土偶的身旁！

煆電照見我僵直的屍身，
不瞑的雙睛向土偶直視！
暴雨在山廟裏迴旋，
土偶發出厲悽的嘆息！

32　　　　　　　　　　　　　　　　　　　　鐵　手

柳影從草上移到水面

柳影從草上移到水面，
日色紫了，你還不來．
並排的空椅都在焦急，
紅魚在等你給餌餵！

教我在這裏飽受欺騙：
光影的幻現，林葉的清響──
連忙的回首四邊窺覷，
空跳一陣心，紅了一回臉．

明知要等你來總不容易，
不像月亮，一會定來臨，
你可不應該遲到這樣，
你看，四圍已暮沈沈！

纖　手　　　　　　　　　　　　88

待走了,怕你來時碰空;
等着呢,已是夜寒露重。
並排的空椅冷清清地,
上面坐着的是皓月一輪!

34　　　　　　　　　　　　　　　　　　　纖　手

隔了幾天還沒來信

隔了幾天還沒來信，
我怎會還有心情讀書？
等課堂裏應對不來時，
你還要笑我糊塗！

無端的怨恨到郵差，
你不寄時，他那會無中送有？
只要你高興時才寫，
不高興時，教人等白了頭！

假若我曾惹你生氣，
也會來輕隱的責罵；
假若你是有了病時，
也該有幾行細字。

纖　手　　　　　　　　　　　　　　**35**

一天不來，兩天又不來，
這個啞謎兒我不會猜．
人家整天的擔憂着急，
你偏不願犧牲片刻的空閒！

又是郵差送信的時間，
我心中頻頻亂跳！
要是今天再沒有時，
咳，我們不如索性斷絕！

36 織 手

淡花影

淡花影，
輕泅上階苔。
深深院院，
頓時沒聲息。

伊去後，
面對這空椅！
坐上去，
還溫溫地！

同栽在籬畔的薔薇

同栽在籬畔的薔薇，
春來也一樣的着花。
可是今年來探顧的，
却只有隣居的小孩！

薔薇花和去年一樣殷紅，
呵，這薔薇可比別的更香，
爲由牠我想到曾簪戴過的頭髮，
呵，這薔薇可眞和別的不　樣！

誰知道薔薇已開了多少朶，
難道一個人還有心去細數？
那時在賭說十五和十三，
只今你說沒有，我都相信！

38　　　　　　　　　　　　　　　纖手

臨走時同裁下的薔薇

臨走時同裁下的薔薇，
是跟着春天開花了！
胸前的鈕縫空白等着，
但白的纖手，這囘不來了！

本就該連根都拔去了，
留着只會敎人淚零！
但一想到那白的纖手，
終未忍自地裁培的慇懃！

只今園裏新添了一條小徑，
爲的是怕經過那薔薇花叢，
可是沒奈何，避過了又要回首
薔薇喲，我寧讓你寂寞地自紅！

纖 手   **39**

有個淒寂的池塘

有個淒寂的池塘，
橫擱着殘破的蓮舟。
小舟在殘荷中欹側，
池水縐了臉，蘆花白了頭。

小舟是這樣的殘破，
時節是這樣的暮秋。
荷叢只剩些斷莖枯葉，
會有人來划去蕩游？

會有雙纖纖素手，
輕撥着紅槳，來往水波柔；
會有雙纖纖素手，採摘了
白蓮花，堆壓滿船頭？

40　　　　　　　　　　　　　　　　　　織手

已是這樣殘破的小舟，

載滿了荒涼，準備着下沈！

已是這樣殘破的小舟——

這小舟是我的心！

江干聚攏了霧白的夜色

江干聚攏了霧白的夜色，
這江干望不見盡頭的長！
愛唷，我們怎樣渡過——
沒有舟楫，也沒有橋梁！

弦月在對岸的樹梢出現，
幽光籠住了浮動的水煙。
愛唷，我們怎樣渡過——
不見舟楫，也沒有橋梁！

星星在天畔不安地炯爍，
這冷悄的江干，說不盡地凄涼！
愛唷，我們怎樣渡過——
不見漁火，也沒有橋梁！

42 　　　　　　　　　　　　　　　　　　　　　　　　攜手

夜鴉在半空淒厲的啼叫，
野風吹得我們指尖涼涼。
愛喲，我們怎樣渡過——
不見漁火，也沒有橋梁！

天空裏有幽靈動浮，隱現，
四望只是夜色蒼茫一片！
愛喲，我們怎樣渡過——
沒有舟楫，也沒有橋梁！

爲受了我灰白的接吻

爲受了我灰白的接吻，

你的小唇已褪盡了殷紅！

爲受了我灰白的接吻，

你便永遠的緊蹙着眉峯！

爲受了我灰白的接吻，

你的黝黑長髮永遠亂鬆！

爲受了我灰白的接吻，

這灰白，染透了你雙頰的霞紅！

無邪的眼光，如今瀰漫了深愁，

恬靜的幽心，如今蘊藏着沈憂，

爲受了我灰白的接吻，

你的雙淚便不斷地交流！

44　　　　　　　　　　　　　　　　　　織手

愛喲，你必要記住這個麼

愛喲，你必要記住這個麼？
就只爲我缺少--些兒溫存！
你現在用來咒訊我的，
那是我曾親過的紅唇！

你嬌弱的心，容不得些兒委屈，
可是今番做錯的，是你的情人
我一切的過失你都愛上了，
就只爲這個，你不容我自新？

我悲苦了，你可會快意？
愛喲，你還細自思量，
你可能忘記你的織手，
曾溫過我冷却的胸前？

我們兩個管領着這深的靜夜

我們兩個管領着這深的靜夜，
肌膚冰涼呵，無端的悲惻！
微吟輕溜自你的紅脣，
如像花影顫動的聲息。

你的雙睛凝聚着淒光，
如像寒潭斂着金陽的殘照；
你的纖手如像白霜，
在微月的光芒裏銷融！

我們胸中泛着愛的哀潮；
幽婉的語聲，幽婉地廻響。
我們深味着哀楚的青春，
青春喲，一瓣瓣暗自凋謝！

46   纖 手

怕抬頭見弦月西低，

爲的是可怕的明朝將近．

寧如兩個無所依棲的幽魂，

在未明之前先自殞滅！

寒宵裏還儘自徘徊

寒宵裏還儘自徘徊，
深深的寒宵裏還儘自徘徊。
問你無言的弦月，爲什麼
定要我回望那無人的樓臺？

心中彌漫了離散的悲哀，
寂寂的心中彌漫了離散的悲哀。
問你無言的弦月，可知道，
那樓中的人兒去了不再來？

48   牽 手

不用哭泣罷，我的姑娘

不用哭泣罷，我的姑娘！
請盡我手中此半杯殘酒；
你若我活着已不多時，
這剎那間，還是我們所有！

莫用縐眉罷，請把殘酒吸吞；
寬懷地享受我生前之供奉！
請你爲我喲，展開愁顏；
我爲你倒吸盡這滿滿的一罇。

將我短促的生涯，
縮成此歡娛哀戚之一瞬！
呵，你不用爲我傷懷，
只遞給我喲，你的皓腕，芳脣！

纖 手   **49**

在你的裙邊我將安心長眠，
狂醉裏，解脫了這苦惱的肉身
我的生命要在你的愛裏長存，
請斟喲，斟喲，請再斟莫停！

50 　　　　　　　　　　　　　　　　　　　　纖手

又是一場失望的分手

又是一場失望的分手，
我心中廻蕩着沈纖的怨懟。
我左手斜插在胸裏，
右手握着啤酒一瓶。

秋風穿透了我單薄的襟袖，
秋葉喲，我們一樣的飄零！
我右手緊握着一瓶啤酒，
頻頻地向着口裏倒傾！

啤酒喲，多謝你的苦辛，
我藉你敵住了秋風的欺凌！
我是個舉目無親的浪子，
只有你還肯和我相親！

纖 手   **51**

啤酒喲，多謝你還肯和我相親，
我藉你敵住了那姑娘的寡情！
你可會融解我心中的怨恨？
不然喲，你就把怨恨添增！

52 　　　　　　　　　　　　　　　　　　　 援手

飲此一杯,送別那美好的青春

飲此一杯,送別那美好的青春;

　　黯淡的淚眼.

　　枯萎的灰唇.

飲此一杯,送別那美好的青春;

　　把這些殘留的表記。

　　埋葬在忘却的土墳!

飲此一杯,送別那貪戀的歡情;

　　破碎的花環,

　　幻夢的殘影.

飲此一杯,送別那貪戀的歡情;

　　把這些不吝惜地遺棄了,

　　如像拂去衣上的征塵!

纖 手   **53**

飲此--杯，呵，送別此最後之一杯；

　　忘懷重去的榮華，

　　擺脫此日的悲哀。

飲此一杯，送別這最後之一杯；

　　今朝我將無憂地睡倒，

　　脫去的靈魂永不再回！

54　　　　　　　　　　　　　　　　　　　　　織手

只剩小紅花在秋風裏顫動

只剩小紅花在秋風裏顫動，
小紅花不怕寂寞的殷紅。

柔薄的白雲隨意卷伸，
這殘秋時節，野曠，天清．

來對着這漂泊無踪的秋葉，
偏是我個孤零寂寞的人！

我過去的春花都已凋謝，
如今又從秋葉石兒了自已的前程！

瓔珉琳已是弓摧弦斷，
我再難忍什麼來訴說衷情！

纖 手　　　　　　　　　　　　　　55

我如今還有何可戀惜，

沒來由，只自傷心淚零！

56   殺手

我心如像一座寂寂的禪院

我心如像一座寂寂的禪院，
蓋造在深谷，隱藏在幽林，
飄蕩着木魚的清響，僧侶的梵音

莊嚴古佛端坐在寶殿中央，
香爐裏旋起嫋嫋的淡煙，
遠離人間，紅塵一絲不染．

無精采個凡間的少女，
雅潔地裹着素衣銀裳，
衣袂飄拂，使禪院流蕩着異香

她深深地膜拜在神座前，
哀愁地訴盡了她的衷腸．

纖 手 57

嬌聲沈靜了木魚的清響。

她蘊淚的雙睛放射出悽光，
在神像臉上，細細端詳，
鮮活的笑色便浮上神像的臉。

這冷靜的禪院立時泛滿熱流，
香爐裏燃起了愛火熊熊，
神像倒碎在她的裙邊！

幽寂禪院已變成宏麗的宮殿，
莊嚴的神座，坐上了美麗的女王，
這禪院已不再是我的心房！

我如今眼角已褪盡了淚痕

我如今眼角已褪盡了痕淚，
眉梢也已除輕了愁壓．
姑娘，我那能讓你的心血白白拋殘；
更不忍你的願望就這般消歇，
寧是我個人捧起那苦味之杯，
自己釀成的苦酒，還是自己獨喝，
呵，姑娘，我那能讓你的願望消歇！

我是個身也憔悴心也憔悴的病者，
我是不能不甘心寂寞，頹唐，
我忘却了人間的光明，恩愛，
迷喪了道路，只是四顧茫茫；
我如今重找到失却的光明，道路——
謝姑娘爲我補縫了殘碎的心房．

纖手　　　　　　　　　　　　　59

姑娘的慈愛有了良好的收場！

從枯木死灰中，重拾起我的青春，

愛泉裏，洗濯了汙垢的靈魂，

你兩年的慇懃，持攜，溫柔的撫慰，

憐愛的夕照輝煌我青春的黃昏。

這兩年是我一生僅有的收穫：

有了這些些，我已不幸負了曾經生存：

因為我亦嘗用指尖輕彈過幸福之門。

呵，是的，我雖嘗輕彈過幸福之門，

我嘗狂迷地留戀在幸福之殿堂，

可是只容許我淹留得一時半刻：

容許我剎那的狂妄，剎那的忻懽，

我還得被放逐在殿堂之外，

發見我依舊的寂寞與頹唐，

對着那深閉的幸福之宮門悲嘆！

60 　　　　　　　　　　　　　　　　　　　　　幾 平

姑娘，我正如痴人做過了一場春夢，

醒來時，加倍的淒涼，加倍的悽愴，

我重又失却了光明了，迷喪了道路，

重又抱着殘碎的心，四顧茫茫！

我如今眼角已沒有淚痕，我的眼淚

流向腹底；眉梢除了愁壓，

我的哀愁凝鎖在冷落的心房！

繁華的夏夢已過

繁華夏夢已過，
紅葉掛着秋天，
別了，我的姑娘！

塘荷只剩斷莖，
堤柳褪盡綠裳，
別了，我的姑娘！

歡娛一例消歇，
眼前只有惆悵，
別了，我的姑娘！

一切均須衰老，
戀愛亦是一樣，

62 　　　　　　　　　　　　　　　　　　　　織手

別了，我的姑娘！

已是殘秋急景，
不如別了乾淨；
別了，我的姑娘，
莫敎到了冬天！

纖 手   63

殘燭還吐着青黃的微光

殘燭還吐着青黃的微光，
　　　　紙窗在戰慄，
　　　　細雨聲淒切，
　　對着你．我只是滿心悽惶！

　　盤餐已狼藉，只餘半杯綠酒，
　　　　你倦眼惺忪，
　　　　你額髮蓬鬆，
　　對着你，我又喚起已死的沈哀！

　　傾聽着夜風在屋上低吟，
　　　　你不用歌唱，
　　　　更休弄琴弦，
　　對着你，我已聽到青春的哀音！

64　　　　　　　　　　　　　　　　　　戀　手

殘燭燒完，已到破曉時分，
　接個輕吻罷，
　按個輕吻罷，
我不敢視你蒼白的小唇！

如今只好離開這廣漠的荒園

如今只好離開這廣漠的荒園：
在千百寂寞的花叢裏，
我不能再找到蒼白的薔薇。

舊歡情在遺忘的墳裏嘆息，
我就踏遍了這廣漠的荒園，
再無薔薇，有那般蒼白的顏色。

如今只好離開這廣漠的荒園，
在淡月疏星的深林裏，去喚那，
永遠寂靜的睡眠——蒼白的薔薇！

66　　　　　　　　　　　　　　　　　　　歌手

紅窗中不見你黑髮蓬蓬

紅窗中不見你黑髮蓬蓬，
白窗中不見我寒着帷幄；
那兩個默默無言的窗兒，
在暮色蒼茫裏，遙遙相望。

我漂泊了，重又漂泊歸來。
你嗎，向何處探你的芳蹤？
你怎知我的白窗依舊虛掩？
蒼茫裏我獨望着你的紅窗！

姑娘你給我劃一根火柴

姑娘，你給我劃一根火柴；
　　　感謝你那纖手的慇懃，
　　　再謝你那慇懃的眼睛——
姑娘，愛情正像這一根火柴，
　　　只有一剎那的光輝，
　　　便餘着惆悵的殘灰！
姑娘，你給我燃起口裏的捲煙；
　　　看着我把捲烟吸盡，
　　　石落在衣上的殘爐——
姑娘，生命正像我口裏的捲煙，
　　　只有這捲煙一般長，
　　　經不久哀樂的燒燃！

68　　　　　　　　　　　　　　　　　　　幾　手

你請把頭兒埋在我的懷間

你請把頭兒埋在我的懷間，
讓我用手掩住你的冰臉，
別再望那星星無情的冷眼。

你靜着，這兒有說不盡的荒涼，
你的鞋兒，都盛滿了荒涼的塵，
灰白的死衣，披在你的肩上。

你亦不用抬起頭來嘆息，
我早就知道，要有明朝，
讓我們忘却了一切的盟誓。

這兒有死的寂靜，死的沈哀；
但野狗的吠聲驚起了你了，

纖手

還是讓我擁着，你再倒下來！

我的懷間這時還是溫溫，
還燃着垂絕的情愛的舊火；
你多睡一刻罷，可憐的靈魂！

一切都是這麼的寂靜，沈沈，
我亦不願意再發什麼嘆息了、
明朝你醒時，我再叫你一聲。

70

我飲酒服藥一樣地慇懃

姑娘，我飲酒服藥一樣地慇懃
爲的是你臉兒太姣豔，心兒太冷淸。

藥杯裏，我看見你像春花一樣鮮妍，
酒杯裏，唉，你常是冰冷無情。

爲你的美貌，我還貪戀着這可憐的殘生，
只是你的寡情喲，却敎我向酒浪自沈。

唉，姑娘，我服藥飲酒一樣地傷心，
我頻頻傾杯，不管是酒味苦，藥味辛。

纖手　　　　　　　　　　　　**71**

今天我來送你上船

今天我來送你上船，我的姑娘，
我不流淚，不，我亦不心傷．

在那邊有個秀美的青年，
他每天在江干凝望過千遍．

他比我百倍英偉，千倍優良，
我喲，只是個亡魂喪魄的流浪人．

姑娘，你這去是接受你應有的榮華；
我只合長此流落在地角，天涯！

我今天還來送你上船，姑娘，

72　　　　　　　　　　　　　　　　　　　　　　　　　織 手

我只想在姑娘臉上，多看一眼；

我向你道聲珍重，你不須回頭，
我是心亦不傷，淚亦不流。

纖手 _____ 1

後　記

我雖不能寫詩，但最愛讀詩。吟圃的詩是我所愛讀的。

因為我愛讀他的詩，所以在去年秋末冬初的時候，便力請吟圃把他的詩編成集子，作為白露叢書之一。雖然虛懷的他，不甚意願，但經我再三力說，終於有一天他把稿本帶給我了。這是怎樣地使我欣慰啊！

可是，稿子在書局一擱，竟擱上半年！

今天到書局來，據說「纖手」已快出版了。我一邊欣慰，一邊却又覺得自己太對不起吟圃了。因為這半年來生活的重担的壓搾，幾乎連喘氣的時候都沒有，有許多吟圃新寫的詩都未為編入「纖手」。於是我就立刻代為整理了一下，編了進去。然而對於作者，我總

2   織 手

覺是不爲無所歉然。

吟圃現在是臥病在醫院裏。他本要我爲他選去了幾首校次的詩，可是一則我沒有選刪的能力，一則時間又不允許我這樣做。不過我覺得「織手」中的詩，除了三數首外，都是很好的，不加選刪，也沒甚關係。

作者本要我做一篇序文，但我只能爲他寫這一點兒了。我覺得「織手」的出版，是很可喜的，愛讀吟圃的詩的人，決不只我一人。

最後，謹說「織手」作者早日康健！

七，二十一，下午，斯曀記於泰東。

編 後 題 記

把兩年來——一九二六至一九二七——所寫的短詩，略加整理，編成這小集子，名曰「纖手」。平常的字句，表現浮淺的感情，自己亦知道是不生產的努力』

我從前有過一個淒美的夢。在夢中，我看見枯萎的薔薇瓣，失色的月亮，蒼白的小唇，僵冷的手指⋯⋯這些，成爲這一集的來源，後來知道是夢；但雖然是夢，亦仍然可貴，所以我把這些殘夢的留痕編成集子。

淒美的迷夢不能再綴了！但我不能再在這醒後的寂寞和荒涼中生活着，我需要強烈的陶醉，比夢更強烈的醉陶。「纖手」，在這裏我和你握別了，我要用這和你握過的手，去握着一柄霜白的寶劍！

一九二七，十二，念二，吟圃。

中華民國十七年七月出版

書 名　　　鐵　手

著作者　　　羅吟圃

發行者　　　趙南公

總發行所上海泰東圖書局

版權所有　　不許翻印

全書一冊　　定價三角

外埠函購　　郵費加一

印　　數　　1─2000冊

花木蘭文化事業有限公司聲明啓事

　　此次《民國文學珍稀文獻集成》出版，有賴各位作者家屬大力支持，慨然允贈版權，遂使這巨大的文化工程得以開展。本公司全體同仁在此向各位致以誠摯的謝意！

　　由於民國作者人數眾多，年代久遠且戰火頻繁，本公司傾全力尋找，遍訪各地，能夠找到的後人，得其親筆授權者，爲數甚寡。更多的情況是，因作者本人下落不明，連版權情況都無從知曉。

　　因此，本公司鄭重聲明：

　　此叢書所錄專著，凡有在版權期內而未授權者，作者家屬可與本公司聯繫，本公司願奉送相關贈書 50 冊爲報酬，補簽授權協議。

　　望家屬看到此通知後與本公司聯繫。聯繫信箱：hml@vip.163.com

花木蘭文化事業有限公司